LE LION
À TROIS TÊTES

Cet ouvrage a initialement paru en langue anglaise en 2008
chez Orchard Books sous le titre :
Trillion the Three-Headed Lion
© Working Partners Limited 2008 pour le texte.
© David Wyatt, 2008 pour la couverture.
© Orchard Books, 2008 pour les illustrations.

© Hachette Livre, 2011 pour la présente édition.

Mise en page et colorisation : Julie Simoens.

Hachette Livre, 43, quai de Grenelle, 75015 Paris.

Adam Blade

Adapté de l'anglais
par Blandine Longre

LE LION
À TROIS TÊTES

hachette
JEUNESSE

TOM

Tom, le héros de cette histoire, aime l'action et l'aventure : il a toujours voulu devenir chevalier. Sa mission est risquée, et il lui arrive d'avoir peur... mais il sait aussi se montrer très malin! Par chance, il peut compter sur son amie Elena, sur son cheval Tempête, et sur son épée, dont il se sert très bien. Son rêve le plus cher : retrouver son père, qu'il n'a jamais connu.

ELENA

Cette jeune orpheline accompagne Tom dans ses aventures. Courageuse, astucieuse, et plutôt têtue, elle est experte au tir à l'arc. Elle a tendance à se fâcher, surtout si Tom la taquine! Mais elle n'abandonne jamais ses compagnons quand ils sont en danger. Avant de rencontrer Tom, son seul ami était Silver, un loup. Très attachée à Silver, elle s'inquiète souvent pour lui... parfois un peu trop!

Bienvenue à Avantia…

Je suis Malvel, le sorcier qui terrifie les habitants du royaume. Si tu crois que l'aventure de Tom est terminée, tu te trompes ! Je n'ai pas encore perdu…

C'est vrai, Tom a réussi à libérer les six Bêtes que j'avais ensorcelées. Mais j'ai créé six nouvelles créatures maléfiques : un monstre marin, un singe géant, une ensorceleuse, un homme-serpent, le maître des araignées et un lion à trois têtes ! Cette fois, il ne pourra pas les sauver.

Chaque Bête garde un morceau du trésor le plus précieux du royaume : une armure en or qui donne des pouvoirs magiques à celui qui la possède.

Je ferai tout pour empêcher Tom de la retrouver. Et rien ne m'arrêtera !

Malvel

Tom et Elena ont déjà combattu cinq Bêtes maléfiques créées par Malvel : un monstre marin, un singe géant, une ensorceleuse, un homme-serpent et une énorme araignée. Grâce à ces victoires, le jeune héros a réussi à retrouver plusieurs parties de l'armure magique : un casque en or qui lui donne une vue perçante, une cotte de mailles, un plastron doré, des jambières, et des gantelets pour mieux se défendre à l'épée.

Pourtant, le bon sorcier Aduro est toujours prisonnier de Malvel et il reste une dernière Bête à combattre avant de pouvoir le délivrer…

Le soleil se couche sur les plaines d'Avantia. Tagus, l'homme-cheval, protecteur des terres du royaume, est content : tout est paisible depuis que Tom l'a libéré de la malédiction lancée par Malvel.

Il se retourne et observe le bétail dans le lointain. Soudain, une étrange silhouette apparaît à l'horizon...

Un prédateur !

Discrètement, Tagus se dirige au

trot vers la créature en se cachant derrière des rochers et des arbres. Il s'approche d'elle et la voit enfin : c'est un énorme lion à trois têtes, assis sur un rocher. Sa fourrure dorée et épaisse brille au soleil. Ses six yeux, verts comme l'émeraude, regardent les vaches d'un air cruel.

Tagus sait que ce lion est une Bête maléfique qui appartient à Malvel. Il doit l'empêcher de faire du mal au bétail. Il examine les grosses pattes de la créature, munies de griffes acérées. Puis, il pousse un cri féroce, tire son épée et se précipite au galop vers la Bête.

Les trois têtes se retournent et trois gueules se mettent à rugir. Le lion saute de son rocher et atterrit sur l'homme-cheval, qui perd son épée, et tous deux roulent à terre.

Tagus se bat courageusement : il donne un coup de sabot dans le ventre de la Bête et réussit à la repousser. Il se relève, mais la créature l'attaque de nouveau et plaque Tagus sur le sol en le mordant. L'haleine du lion est terrible et l'homme-cheval sent la tête lui tourner. Il manque de force et sait qu'il est blessé…

Comment est-ce qu'il va échapper à cette créature ?

Tout à coup, une flèche s'enfonce dans l'une des pattes de la Bête. D'où est-ce qu'elle vient ? Le monstre hurle de douleur et bondit en arrière. Mais Tagus est trop faible pour se redresser.

Le lion essaie d'arracher la flèche plantée dans sa patte, quand une autre siffle à ses oreilles. Aussitôt, il s'enfuit vers les plaines.

Tagus pousse un soupir de soulagement et lève les yeux. Deux silhouettes familières se tiennent au loin : un garçon dont l'armure dorée brille à la lueur du soleil couchant, et une fille qui tient un arc à la main, prête à tirer. Derrière eux, Tagus aperçoit un chien et un loup.

Chapitre un

La Bête blessée

—Tagus est blessé ! s'écrie Tom en grimpant sur Tempête, sa monture. Vite !

Elena bondit derrière son ami et le cheval s'élance au grand galop, tandis que Silver, le loup fidèle d'Elena, court derrière eux. Tom cherche la Bête, mais elle a disparu. Il la pourchassera plus tard : pour l'instant, il faut aider Tagus, qui ne s'est pas relevé, affaibli après son combat avec le lion à trois têtes.

— Ce lion l'aurait tué si tu ne lui avais pas tiré dessus ! lance-t-il à Elena.

— C'est sûrement une Bête maléfique de Malvel ! répond la jeune fille. Est-ce que tu crois que ce lion est le gardien des chausses dorées de ton armure magique ?

— Oui, dit Tom. Et quand on les aura retrouvées, l'armure sera complète.

Pourtant, il est inquiet : malgré son bouclier magique et l'armure, comment est-ce qu'ils vont réussir à combattre cette énorme créature qui a failli tuer Tagus ?

Ils arrivent devant l'homme-cheval. L'haleine affreuse du lion plane encore dans l'air. Les blessures de l'homme-cheval sont profondes et Tom et Elena doivent l'aider à se relever.

— Attention ! lui dit le garçon. Redresse-toi lentement.

Tempête s'approche de Tagus, qui s'appuie sur la

tête du cheval pour se mettre debout. Pendant ce temps, Silver surveille les plaines, prêt à alerter ses amis en cas de danger.

— Il a besoin de repos, déclare Elena. Mais il ne pourra pas aller bien loin. Comment faire ?

Tom lui indique un tas de rochers qui forme un abri naturel.

— Si on arrive à l'emmener là-bas, il sera bien caché, répond le garçon. Viens avec nous, dit-il à l'homme-cheval.

Celui-ci hoche la tête. Lentement, il se met en route en boitant et en s'appuyant contre Tempête.

Tout à coup, un rire cruel résonne autour d'eux.

— Malvel ! s'exclame Tom en serrant le pommeau de son épée.

Un tourbillon sombre se forme dans le ciel. Quand il s'éclaircit, Malvel apparaît devant eux.

Tom dégaine son arme.

— Tu sais que tu ne peux rien contre moi ! se moque le sorcier maléfique. Vous

êtes maudits ! ajoute-t-il en ouvrant une main devant eux. Car votre quête touche à sa fin ! Tagus va mourir et Trillion, la Bête la plus sauvage que vous avez rencontrée, triomphera de vous !

— On n'a pas peur de toi ! réplique Elena. Ni des Bêtes

que tu as ensorcelées. C'est toi qui devrais avoir peur de nous !

— Moi ? Quelle plaisanterie ! répond Malvel en riant.

— Tu n'es qu'un lâche ! s'écrie Tom.

Le sorcier est furieux.

— Écoute-moi bien, menace-t-il. Si tu oses combattre Trillion, je te promets que tu le regretteras ! Il est plus dangereux que toutes les autres Bêtes.

Et soudain, le tourbillon s'assombrit de nouveau et le sorcier maléfique disparaît sous leurs yeux.

— Aduro n'était pas avec lui, cette fois, dit Tom à son amie.

— Est-ce que tu crois que Malvel lui a fait quelque chose de terrible ? demande Elena.

— Je ne sais pas, répond-il d'une voix déterminée. Mais quand cette quête sera terminée, Malvel paiera pour toutes ses méchancetés !

Il contemple les plaines. L'horrible lion ne doit pas être bien loin.

— Je te retrouverai, Trillion ! s'écrie-t-il en brandissant son épée.

Chapitre deux

En danger !

Tagus pousse un gémissement. Il est allongé par terre, à l'abri sous les rochers.

— On dirait qu'il va mourir, Tom, chuchote Elena, inquiète. Qu'est-ce qu'on va faire ?

— J'ai une idée.

Il prend son bouclier, dans lequel sont incrustés les cadeaux magiques des six

Bêtes qui protègent Avantia.

— La serre que m'a offerte Epos, l'oiseau-flamme, permet de tout guérir, dit-il en s'agenouillant près de Tagus.

Tom place l'objet magique près d'une blessure de l'homme-cheval et soudain, il sent sa main le picoter : la serre se remplit d'énergie.

— Ça marche ! s'exclame Elena.

Tom sourit. La plaie s'est refermée et il ne reste qu'une petite cicatrice sur la peau de Tagus.

— J'espère que le pouvoir de la griffe sera assez fort pour guérir toutes ses blessures, murmure-t-il.

Il la pose sur une autre plaie, qui guérit aussitôt ! Mais l'objet magique perd peu à peu de son énergie, et quand le garçon essaie de soigner une troisième blessure, celle-ci ne se referme pas.

— Qu'est-ce qui se passe ? demande son amie.

— Il faut que la griffe retrouve de la puissance, je crois. Le temps presse ! On doit partir à la recherche de Trillion, maintenant, ajoute-t-il en se relevant.

— Je t'accompagne, répond Elena. Silver et Tempête veilleront sur Tagus.

— D'accord.

Tom et la jeune fille disent au revoir à leurs amis et grimpent au-dessus des rochers.

— De là, on a une bonne vue sur les plaines, déclare le garçon.

À l'horizon, le soleil a presque disparu. Tom baisse la visière de son casque doré, qui lui permet de voir très loin. Il repère aussitôt Trillion : la Bête est en train de terroriser un troupeau de chèvres sauvages, qui courent dans tous les sens.

— Il joue avec elles ! s'exclame-t-il, très en colère. Il faut qu'on l'empêche de les tuer !

Mais Elena l'attrape par le bras.

— Regarde !

Tom voit des silhouettes qui se précipitent vers les rochers, en direction de l'homme-cheval, de Silver et de Tempête.

— Ce sont des hyènes !

— Elles ont dû sentir le sang de Tagus, dit Elena.

— Nos amis ne vont pas pouvoir les combattre,

elles sont trop nombreuses, déclare Tom. On doit redescendre les aider.

Au même moment, les hyènes se rapprochent de l'abri de Tagus en poussant un ricanement...

Chapitre trois

Courage et force

On arrive ! crie Tom tandis qu'Elena et lui descendent à toute allure vers leurs amis.

— J'ai oublié mon arc et mes flèches en bas ! s'exclame tout à coup la jeune fille.

Le garçon lui tend son bouclier.

— Prends-le pour te défendre quand tu iras les chercher.

— Mais… tu vas en avoir besoin ! répond-elle.

— Ne t'inquiète pas, il me reste mon armure magique, déclare-t-il en touchant sa cotte de mailles, qui lui redonne aussitôt courage.

En même temps, son plastron le remplit de force : il n'a plus peur maintenant. Il sauvera ses amis !

Il bondit d'un rocher en poussant un cri et en levant son épée. Il atterrit au milieu des hyènes : quelques-unes tombent à terre et d'autres reculent pour l'encercler. Elles regardent le garçon avec fureur, mais restent hors de portée de son arme.

À son tour, Elena saute du rocher en tenant le bouclier devant elle. Une hyène se précipite sur elle mais la jeune fille la frappe avec le bouclier.

— Je suis plus forte que vous ! leur lance-t-elle en évitant un autre animal.

Tempête et Silver combattent eux aussi avec courage pour empêcher les hyènes de s'approcher de Tagus :

il est si faible qu'il ne peut pas aider ses amis. Le cheval donne des ruades et des coups de sabots de tous les côtés, pendant que le loup, couché sur le sol, lutte contre deux hyènes.

Tom fait tournoyer son épée et hurle :

— Tempête ! Ici !

Le cheval traverse la meute au galop pour rejoindre son maître. Celui-ci grimpe sur la selle et tous les deux repartent vers Silver et Tagus. Grâce à son gantelet doré, Tom peut se battre avec encore plus d'habileté : les hyènes s'écartent sur son passage en poussant des grondements.

Tom réussit à atteindre Silver et, une seconde plus tard, Elena est à leurs côtés : elle a retrouvé son arc et elle tire des flèches sur leurs ennemies.

Petit à petit, les hyènes reculent en gémissant, avant de s'enfuir. Tom décide de

les poursuivre : il ne veut pas qu'elles se regroupent pour attaquer de nouveau.

— Fais attention ! lui crie Elena.

Mais il galope derrière la meute et n'entend pas son amie.

Soudain, un ricanement résonne tout près de lui. Il lève les yeux et aperçoit une hyène sur un rocher. Il se retourne et en voit une deuxième de l'autre côté... et d'autres qui les rejoignent ! Ils seront bientôt encerclés...

Tempête pousse un hennissement de frayeur et ne sait plus quelle direction prendre.

Tout à coup, les hyènes bondissent sur eux et Tom brandit son épée…

Chapitre quatre

La griffe d'Epos

Un rugissement résonne si fort que tout tremble autour de Tom. Les hyènes arrêtent de ricaner.

Le garçon se retourne alors et aperçoit Tagus, qui galope dans sa direction ! L'homme-cheval est couvert de blessures mais il tient fermement son épée, tandis que ses sabots puissants frappent le sol.

Quelques hyènes se jettent sur Tagus, mais il fait tournoyer son arme et distribue de nombreux coups.

Il arrive à toute allure au milieu de la meute, qui se disperse immédiatement.

— Tagus ! s'écrie Tom, fou de joie. Merci, tu m'as sauvé la vie !

L'homme-cheval hoche la tête avec fierté. Pourtant, il a du mal à respirer et ses blessures se sont rouvertes.

Elena et Silver se précipitent vers leurs amis. À ce moment, Tagus s'écroule à terre. Tom pousse un cri d'inquiétude et saute de son cheval.

— Il est épuisé, constate Elena en posant la main sur le cou de l'homme-cheval.

— Donne-moi le bouclier,

lui dit Tom en s'agenouillant près de Tagus.

Le garçon place de nouveau la serre d'Epos sur les blessures de l'homme-cheval.

— Regarde, ça marche ! s'exclame-t-il.

Pendant ce temps, Elena nettoie les coupures avec de la mousse. Tempête pose son museau sur le visage de Tagus et Silver se couche à côté de lui pour le réchauffer : la nuit est en train de tomber et il commence à faire froid.

— La serre a le pouvoir de guérir quelques blessures, dit Elena. Mais ça va prendre du temps...

— Tant pis, répond Tom d'un ton ferme. Pas question d'abandonner cette Bête. Et puis, on a nous aussi besoin de repos avant d'aller affronter Trillion.

Au même moment, ils entendent un rugissement dans le lointain. Ils aperçoivent la silhouette du lion à trois têtes au sommet d'une colline.

— Pourquoi est-ce qu'il n'attaque pas ? demande Elena.

— Il cherche peut-être à nous attirer dans un piège, répond son ami.

Au même instant, Trillion

bondit de la colline et disparaît dans l'obscurité.

— Il sera loin demain matin, fait remarquer Elena. Et on risque de le perdre…

— Non, il ne va pas s'éloigner, déclare Tom. Je vais consulter la carte magique d'Aduro. Elle nous indiquera où il se trouve.

Il sort le parchemin du sac de selle de Tempête et le déroule. D'habitude, la carte s'anime et leur montre le chemin à suivre… mais cette fois, aucun signe de Trillion sur le parchemin.

Soudain, Silver pousse un aboiement et s'éloigne de quelques pas en flairant le sol. Puis il se retourne et revient vers Tom et Elena en aboyant encore une fois.

— J'ai compris ! s'exclame la jeune fille en souriant. Il veut nous dire qu'il va se servir de son odorat pour retrouver la trace de Trillion !

— Bravo, Silver ! le félicite Tom. On va passer la nuit près de Tagus et on repartira dès demain matin. Trillion sera bientôt vaincu !

Chapitre cinq

Un plan risqué

Le lendemain matin, alors que le soleil se lève, Tom et Elena disent au revoir à Tagus, puis le garçon monte sur Tempête et aide son amie à s'installer derrière lui. Aussitôt, le cheval s'élance au galop après Silver.

— Trillion ne doit pas être

très loin, dit la jeune fille.

— Tu as raison ! répond Tom. Je sens déjà son odeur.

En effet, le vent transporte la puanteur du lion jusqu'à eux. Silver, le museau contre le sol, la queue battant l'air, les conduit près d'une crête rocheuse et s'immobilise.

Tom et Elena s'arrêtent eux aussi, pendant que Silver atteint le sommet. Il jette un coup d'œil de l'autre côté, puis revient en bondissant vers ses amis.

— Il a trouvé Trillion !

chuchote Elena. Bravo, Silver !

Tom et Elena descendent de cheval. Arrivés en haut de la crête, ils voient une vaste forêt et un lac qui scintille au soleil.

Dans une clairière, au bord du lac, ils aperçoivent soudain Trillion. Tom est certain que les chausses dorées sont tout près !

— Il est vraiment énorme, murmure Elena. Comment est-ce qu'on va le combattre, Tom ?

— Il doit avoir un point

faible, répond-il. J'ai entendu dire que les lions ont peur de l'eau. Et qu'ils ne savent pas bien nager.

— On essaie de l'attirer dans le lac ? propose Elena.

— Bonne idée ! dit Tom.

Tempête, lui, ne craint pas l'eau… S'il va boire dans le lac, je suis sûr qu'on pourra surprendre le lion.

Elena le regarde, effrayée.

— Non, c'est trop dangereux ! Trillion pourrait le

dévorer d'une seule bouchée.

— Tempête est malin : si la Bête le poursuit, il plongera dans l'eau. On va se cacher tout près. Dès que Trillion s'approchera de la rive, tu tireras des flèches sur lui.

Tom, Elena et le cheval avancent en silence entre les arbres, jusqu'au bord du lac.

— Va boire, mon grand, dit alors le garçon à sa monture. Dès que tu apercevras le lion, saute dans l'eau et nage aussi loin que possible.

On te protégera.

Le cheval obéit. Pendant ce temps, Tom dégaine son épée et Elena prépare une flèche. Mais quand le garçon regarde entre les arbres, Trillion a disparu. Pourtant, son odeur remplit encore l'air.

Tempête baisse la tête et commence à boire. Le cœur de Tom se met à battre très vite. Pourvu que rien n'arrive à son cheval...

Soudain, Elena pousse un petit cri.

— Oh non ! Regarde !

Tom se retourne et voit Trillion… de l'autre côté de la clairière ! Il est tapi sur le sol, juste derrière Tempête… Il a dû contourner le lac pour surprendre le cheval.

La panique s'empare de Tom. Cette fois, ils sont trop loin pour attaquer la Bête. Et s'il appelle le cheval, Trillion découvrira leur cachette.

Leur plan n'a pas marché du tout. Comment est-ce qu'ils vont sauver Tempête ?

Chapitre six

Proie et chasseur

om se redresse mais Elena le retient par le bras.

— C'est trop tard ! Trillion va te voir ! chuchote-t-elle. Approche-toi de lui en restant caché dans les arbres et attaque-le par surprise. Dès que tu seras tout près, je tirerai mes flèches.

— Excellente idée ! répond le garçon.

Il suit le conseil d'Elena et, quelques secondes plus tard, il se retrouve juste derrière le lion. Sur le sol, il aperçoit des empreintes de pattes de la Bête : elles sont aussi larges que le bouclier de Tom ! Trillion est sûrement la créature la plus dangereuse qu'il ait eu à combattre.

Mais, Tom garde courage. Il avance dans la clairière et brandit son épée pour faire signe à Elena de tirer.

La première flèche s'en-
fonce dans l'épaule de la
Bête, qui pousse un rugissement sauvage. Tempête
lève brusquement la tête et
se redresse sur ses pattes
arrière, terrorisé. Pourtant,
au lieu d'aller se réfugier
dans le lac, le cheval s'enfuit
en direction des arbres…

— Tempête ! crie Tom.
Non, pas par-là !

Mais le lion est plus rapide
que le cheval. Sans se soucier de la flèche plantée
dans son épaisse fourrure,
il bondit en avant et bloque

la route à Tempête. Paniqué, le cheval fait demi-tour et part vers le lac… Mais en trois bonds, Trillion lui barre de nouveau le passage en le regardant de ses yeux cruels.

La Bête lève une énorme patte, prête à frapper Tempête, quand une autre flèche se fiche dans son arrière-train. Elena tire encore une fois, puis une autre… mais on dirait que les flèches ne blessent pas Trillion. Sa peau doit être trop épaisse…

Tempête tient bon, malgré

sa peur. Tom sait qu'il doit
agir vite.

Une autre flèche traverse
la clairière mais cette fois,
elle est enflammée !

— Bravo, Elena ! murmure
le garçon.

La flèche se plante dans une patte de Trillion et lui brûle aussitôt la fourrure et la peau. Le lion se tord de douleur.

Immédiatement, Tom se précipite en direction de Tempête. Le garçon réussit à saisir les rênes de sa monture, quand la Bête l'aperçoit et rugit. Tempête part à toute allure vers le lac, en entraînant Tom derrière lui.

Lorsque le cheval plonge dans le lac, le garçon perd son épée, lâche les brides et s'enfonce aussitôt sous

l'eau… la lourde armure dorée l'empêche de flotter !

Heureusement, il parvient à remonter à la surface grâce à la dent de Sepron, le serpent de mer, qui se trouve sur son bouclier.

Trillion est au bord du lac mais il n'ose pas entrer dans l'eau… pourtant, il tend une longue patte en direction de Tempête et, d'un seul mouvement, il sort le cheval de l'eau !

En voyant ça, Tom nage vers la rive et s'accroche à des roseaux pour remonter sur le sol. Puis il court vers Tempête, étendu dans l'herbe. Tout près, le garçon aperçoit... les chausses dorées !

De son côté, Trillion se prépare à bondir sur Tempête... il risque de le tuer et d'écraser les chausses !

Chapitre sept

Le souffle du lion

Au dernier moment, Tempête se retourne sur le côté et réussit à éviter Trillion. Il donne alors un coup de sabot dans les chausses, qui roulent plus loin, pendant que l'énorme lion s'écrase sur le sol.

En hennissant de joie, Tempête va rejoindre Tom au galop.

— Félicitations, mon grand !

s'exclame le garçon. Tu es encore plus malin que ce que je pensais.

Il ramasse son épée et se met à courir à côté de son

cheval : grâce à ses jam-
bières dorées, Tom avance
aussi vite que Tempête. Il
attrape les brides et saute
en selle. Quelques instants
plus tard, il aperçoit Elena
et Silver, toujours cachés
derrière les arbres.

Mais Trillion s'est relevé :
il pousse des rugissements
puissants, des éclairs de fureur dans les yeux, et part
à leur poursuite.

— Plus vite, Tempête !
crie Tom.

Le lion est maintenant
tout près et le garçon sent

l'odeur horrible de son souffle dans son cou. Le cheval change brusquement de direction pour éviter la Bête, mais celle-ci continue de les pourchasser en essayant de leur donner des coups de dents.

Soudain, une des mâchoires de Trillion se referme sur la cheville de Tom. Celui-ci laisse échapper un hurlement de douleur. Le lion ne le lâche pas et, tout à coup, Tom tombe de sa selle !

Heureusement, son armure l'empêche de se faire

mal quand il atterrit sur le sol : il fait plusieurs roulades mais ne réussit pas à garder son épée et son bouclier à la main. Quand il s'arrête enfin, il est incapable de se relever : sa cheville est trop douloureuse. Soudain, il aperçoit Elena et Silver qui s'approchent de lui en courant.

— Non ! Retournez vous cacher ! leur crie-t-il en essayant de ramper jusqu'à ses armes.

Ses doigts sont sur le point de se refermer sur

le pommeau de son épée, lorsqu'une immense silhouette arrive d'un bond près de lui et de grosses pattes se posent sur l'épée et le bouclier.

Tom lève les yeux.

Trillion est juste au-dessus de lui et ses trois paires d'yeux l'observent avec cruauté. Une bouffée d'air puant envahit les narines de Tom, tandis que les trois têtes de la Bête se penchent vers lui...

Tom a échoué dans sa quête !

Chapitre huit

Le courage de Tagus

Une lourde patte retombe brutalement sur le plastron doré de Tom et l'écrase contre le sol. Pourtant, l'armure magique est tellement solide qu'elle ne se brise pas sous le poids de la Bête.

Soudain, le garçon entend les sabots de son cheval, lancé au galop.

— Éloigne-toi, Tempête !
C'est trop dangereux !
s'écrie-t-il.

Tom tourne la tête et, à
sa grande surprise, réalise
que ce n'est pas Tempête
qui vient le sauver... mais
Tagus !

L'homme-cheval traverse
la clairière à toute allure,
en brandissant son épée, et
se précipite sur Trillion :
celui-ci est obligé de lâcher
Tom.

À bout de souffle, le garçon s'écarte des deux Bêtes.
Trillion, dressé sur ses

pattes arrière, essaie d'éviter la lame de Tagus. Mais celui-ci lui tourne le dos un instant et lui donne un violent coup de sabot : le lion bascule en arrière, obligé de reculer.

Tom comprend ce que l'homme-cheval cherche à faire.

— Il repousse Trillion vers le lac ! lance-t-il à Elena.

Sans se soucier de sa cheville douloureuse, Tom se relève, ramasse son arme et, en boitant, va rejoindre les deux Bêtes qui continuent de se battre. D'un coup d'épée dans les pattes avant du lion, il l'oblige à reculer un peu plus.

— J'arrive ! lui crie Elena.

Du coin de l'œil, Tom voit la jeune fille, montée sur

Tempête, galoper vers lui, tandis que le loup court à leurs côtés. Sans s'arrêter, elle ramasse le bouclier de son ami et le lance vers lui.

— Merci ! Mais reste en arrière et ne laisse pas Tempête s'approcher ! ajoute-t-il avec inquiétude.

Il ne veut pas de nouveau risquer la vie de son cheval.

— J'ai vu les chausses magiques ! leur crie-t-il. Là-bas, dans l'herbe !

— On va les chercher ! répond la jeune fille.

Tom est plein d'espoir. Quand soudain, un coup de patte le fait tomber à terre.

— Tu es blessé ! s'écrie Elena avec inquiétude.

Je viens d'abord t'aider!

— Non ! Je ne veux pas laisser Tagus seul avec cette créature, répond-il. Va récupérer les chausses !

Elena hésite, puis part en sens inverse, en direction du dernier morceau de l'armure magique.

Tom continue de se battre, en espérant que la douleur dans sa cheville va se calmer. Mais Tagus commence à fatiguer et le garçon a de plus en plus de mal à rester debout.

Il touche alors son plastron doré, et se sent à nouveau rempli de courage. Il lève encore une fois son épée.

Il est prêt à aller au bout de cette lutte !

Chapitre neuf

La défaite !

Les deux Bêtes continuent de lutter avec férocité, à quelques mètres du lac. Tom va avoir besoin de toutes ses forces pour repousser Trillion dans l'eau.

Tagus continue de frapper le lion avec son épée, mais sa lame n'atteint pas la peau épaisse de la créature. Tom s'aperçoit que l'homme-cheval est épuisé et que les crocs du lion risquent de se refermer sur lui à chaque instant.

« Maintenant ! » se dit le garçon. Il s'élance et plante son épée dans la Bête : la lame s'enfonce… mais le lion ne paraît pas blessé, seulement furieux !

Tout à coup, une patte énorme retombe sur le garçon, qui roule sur le côté, tout étourdi. Au même moment, une silhouette s'approche de lui : c'est Tempête ! Elena est en selle

et elle tient quelque chose de brillant à la main... les chausses dorées !

La jeune fille bondit à terre, se penche vers son ami et lui enfile les chausses magiques.

Malgré la tête qui lui tourne, Tom s'assoit lentement, en espérant qu'il arrivera à rester debout.

— Est-ce que tu te sens mieux ? demande Elena, inquiète.

— Non... je ne comprends pas pourquoi.

Mais soudain, un picotement envahit ses pieds puis tout son corps, et une sensation de puissance court dans ses veines. Il n'a plus mal à la cheville !

Aussitôt, il se met debout. Il a l'impression qu'il pourrait bondir par-dessus les arbres ! L'épée et le bouclier bien en main, il va retrouver Trillion et Tagus, qui continuent leur combat.

Le garçon brandit son arme, quand brusquement, une force l'empêche de frapper le lion. Il recule en trébuchant, puis se précipite de nouveau vers la Bête. Mais encore une fois, un mur invisible le repousse vers l'arrière.

Qu'est-ce qui se passe ?

Un tourbillon noir se forme près de la rive du lac

et soudain, Malvel apparaît ! C'est lui qui empêche Tom d'approcher Trillion !

— C'est un avertissement, lui lance le sorcier maléfique. Si tu détruis ma Bête, tu le regretteras !

— Je te vaincrai, Malvel ! crie Tom.

À cet instant, le sorcier fait un large geste de la main et une image d'Aduro apparaît. Tom n'en croit pas ses yeux : le bon sorcier est étendu sur le sol, blessé.

— Je te préviens, Tom ! s'exclame Malvel. Si tu

triomphes de Trillion, ma vengeance sera terrible !

Tom baisse son bras qui tient l'épée. Aduro est un sorcier puissant, et pourtant, Malvel l'a vaincu. Comment est-ce que Tom et ses amis peuvent combattre un sorcier si maléfique ?

Chapitre dix

La porte du lion

Un rugissement de triomphe résonne derrière Tom. Il se retourne vivement et voit Tagus qui s'écroule à terre. Le combat sera bientôt terminé...

— N'oublie pas ce que je t'ai dit ! lance Malvel avec un rire inquiétant.

— Je me moque complètement de tes menaces !

Le garçon sent le pouvoir de l'armure traverser son corps. Il donne un coup de pied dans le mur invisible qui l'empêche d'atteindre Trillion. Un bruit énorme se fait entendre et Malvel laisse échapper un cri de colère. La barrière a disparu !

Tom s'élance en avant, mais une autre force invisible l'oblige à lâcher son épée et son bouclier ! Encore un tour de Malvel...

— Tom, reviens, s'il te plaît ! s'exclame Elena. C'est

vraiment trop dangereux !

— Je n'ai pas besoin d'armes ! répond le garçon. Mon armure me suffit !

Tom bondit sur le lion et s'agrippe à l'une de ses trois crinières. Trillion, surpris, bascule légèrement sur le côté, mais une de ses mâchoires essaie de mordre le garçon. Sans hésiter, celui-ci plonge le bras dans la gueule du lion !

L'armure tient bon et les crocs de la Bête se brisent… avec un rugissement de douleur, le lion retombe assis. Tom dégage une de ses pattes... Tout à coup la Bête se redresse, prête à écraser le garçon. Mais au lieu de reculer, Tom se jette sur son ennemi et le repousse violemment.

— Je suis plus fort que toi, maintenant ! s'exclame-t-il.

Il parvient à le conduire vers le lac, tandis que Trillion, incapable de se relever, comprend le danger qui l'attend. Il essaie de se retourner pour éviter l'eau, mais Tom est déterminé. Il le repousse une dernière fois et la Bête atterrit dans l'eau !

Plus Trillion se débat et se tord dans tous les sens, plus il s'enfonce dans le lac : sa fourrure est trop lourde et l'entraîne vers le fond.

Soudain, le lion disparaît de la surface. L'eau bouillonne un instant, puis le lac redevient paisible.

Elena rejoint son ami et pose une main sur son épaule.

— Tu as vaincu le lion à trois têtes, dit-elle tranquillement. Tu as triomphé de la Bête la plus puissante de Malvel !

Pourtant, Tom est étonné : les autres Bêtes qu'il a combattues se sont transformées en petits animaux. Pourquoi est-ce que la même chose n'arrive pas à Trillion ?

— Je ne vois pas de petits lions, dit-il à son amie. Comment est-ce que tu expliques ça ?

— Je ne sais pas, répond Elena. Peut-être que...

Elle est interrompue par un grondement sourd

90

qui fait trembler le sol. La surface du lac est soudain agitée de petites vagues.

Tout à coup, les eaux se séparent et un dôme surgit de l'eau : noir comme de l'ébène, il scintille au soleil. La statue d'un lion immense, la gueule grande ouverte, se dresse devant Elena et Tom. Une passerelle la relie à la rive.

— C'est une porte, murmure Tom, stupéfait.

— Où est-ce qu'elle peut bien mener ? se demande la jeune fille.

— Aucune idée, répond le garçon, mais il faut qu'on la franchisse. Quelque chose m'attire, je le sens…

— Ça pourrait être dangereux, remarque Elena. C'est peut-être un piège que nous tend Malvel.

— Peu importe, dit le garçon en sortant sa boussole magique de sa poche.

L'aiguille pointe sur : « *Destinée* ».

— Je dois y aller, ajoute Tom. Je suis sûr qu'Aduro se trouve là, quelque part.

— Et on t'accompagne !

déclare la jeune fille.

Tom est heureux d'avoir des amis aussi fidèles. Il prend la bride de Tempête et s'avance sur la passerelle. Elena marche près de lui, Silver derrière elle.

— Prête ? demande Tom.

— Prête ! répond Elena.

Les quatre compagnons franchissent la porte qui va les mener à leur prochaine aventure.

La quête de Tom est loin d'être terminée…

Fin

Tom et Elena ont enfin réussi à récupérer les six morceaux de l'armure magique ! Mais ils ne sont pas au bout de leurs peines pour autant… En suivant la boussole de Taladon, ils se retrouvent dans le royaume de Malvel ! Là, d'autres Bêtes terribles les y attendent… Réussiront-ils à vaincre la première, un effrayant homme-taureau ?

Découvre la suite des aventures
de Tom dans le tome 15
de **Beast Quest** :

L'HOMME-TAUREAU

Plonge-toi dans les aventures de Tom à Avantia !

LE DRAGON DE FEU

LE SERPENT DE MER

LE GÉANT DES MONTAGNES

L'HOMME-CHEVAL

LE MONSTRE DES NEIGES

L'OISEAU-FLAMME

LES DRAGONS JUMEAUX

LES DRAGONS ENNEMIS

LE MONSTRE MARIN

LE SINGE GÉANT

L'ENSORCELEUSE

L'HOMME-SERPENT

LE MAÎTRE DES ARAIGNÉES

Table

Imprimé en France par Jean Lamour – Groupe Qualibris

Dépôt légal : novembre 2011

20.07.2097.2/04 - ISBN 978-2-01-202097-9

Loi n°49-956 du 16 juillet 1949

sur les publications destinées à la jeunesse